别让伤害靠近你

· 教孩子辨别、远离隐性伤害 ·

写给父母和孩子的安全指导手册

中信出版集团

大 J

知名自媒体“大 J 小 D”的创始人，曾任知名外企高管，畅销书《跟美国儿科医生学育儿》《跟美国幼儿园老师学早教》的作者。

晴天妈妈

北京大学硕士，香港浸会大学学士，高校儿童教育课题研究员。国家认证亲子咨询师，国家二级心理咨询师、CASEL 认证情商指导师，主持人，亲子阅读推广人，是 3 个孩子的妈妈。

鲍芳

中信童书主编、资深媒体人，重度阅读爱好者，3 岁女孩的妈妈。

我们无法保护孩子一辈子
所以要尽早教会孩子远离隐性伤害

百万妈妈信赖的育儿达人 **大 J**

回忆我自己的童年，儿童的社交情况并不总是快乐的，也充满了害怕、难过甚至伤害。我当时是疑惑的，尝试和父母聊起，他们总是说要从自身检查问题。很多年以后，我才知道有个名词叫“霸凌”，还知道了“隐性霸凌”，似乎当年的很多不愉快经历都明白了。

因为自己的成长经历，当了妈妈后，我总是试图回想自己的童年，希望让我女儿的成长过程中少一点不确定。但我们自己从小都不曾被教育过如何应对霸凌，当了父母的我们又该如何教会孩子自我保护呢?

因此，当我得知中信出版社即将出版这套《别让伤害靠近你：教孩子辨别、远离隐性伤害》系列绘本，我是特别开心的。这套绘本不仅可以教会父母更好地理解霸凌，而且让每个父母都能清晰地认识关于霸凌的界定。霸凌不仅仅是行为上的，也有很多隐性的，比如言语、情感上的。这些隐性的霸凌比肢体霸凌更具有伤害性。这套绘本还能帮助每个父母学会如何和孩子沟通这类问题，让孩子学会如何正当防卫。

这套书通过讲故事的方式，把每一个霸凌的前因后果生动地展现出来，非常细致地刻画了孩子当时的心情，还直接说出了很多父母和孩子都会疑惑的地方。比如面对让人不快的玩笑，大家最难处理的就是，不知道是否该对玩笑说不，因为总怕被人说开不起玩笑。这套书里就特别直接地告诉我们，不是每种玩笑都有乐趣，都是闹着玩，那种让人生气的玩笑，包括奚落、羞辱、传谣和合伙攻击别人就可能是情感霸凌。当你觉得有些玩笑或戏弄令你伤心、恼怒时，你有权请对方住口。

而这套书的价值还不止于此，它分享了很多寻求帮助的方法。很多孩子遇到霸凌不敢告诉父母和老师，就是担心被同龄孩子认为是“告状”，而书里也特别清晰地告诉孩子，将霸凌行为告诉大人不等于告状。“告诉”是为了保护自己或别人，而“告状”是为了给别人找麻烦。

它会告诉孩子，“挨欺负时，我们往往会害怕或哭泣，而这恰恰是欺负我们的人想要看到的”。所以，如果我们假装不难过，甚至能完全不以为意，对方或许反倒会罢手。除了这些，它也告诉孩子独立应对和寻求帮助的界限在哪里，“能为自己或别人挺身而出是很棒的，不过小孩子不应该独自‘应战’，最好是找一位自己信任的大人并能制止霸凌行为，给每个人提供适当的帮助”。

同时，这套书不仅能防患于未然，还能教会孩子看到其他人遭遇霸凌该怎么做，“一种简单的帮助‘受害人’的办法就是：让他们感觉自己融入了集体。比如，在走廊里跟他们打招呼，或者与他们共进午餐”。

阅读这套书，父母和孩子不该仅仅停留在看过就好的阶段，而应真正运用起来，亲子共读时多进行一些有意义的延展讨论，让孩子对书的内容认识得更加深刻。在带着孩子进行亲子阅读时，我建议大家可以多进行一些互动式的提问。遇到某个霸凌问题时，和孩子谈论一下当事人的心情，这样父母也能明白孩子对这个问题的认知是怎样的，存在的疑惑是什么，从而使引导更有的放矢。还可以问问孩子是否看到过或者遇到过类似经历，以便从侧面了解孩子学校的环境。读到解决方法时，也可以和孩子讨论一下，遇到霸凌该怎么做。如果按照书里说的方法做，会有什么疑问或者困难。

霸凌是每个父母都该重视的问题，这套绘本只是一个起点，它提供给我们一个切入点，让我们开始和孩子进行这样一个看似困难却重要的话题。更关键的是，我们需要让这个话题成为长期和孩子探讨的内容之一，这才是更深远的意义所在。

孩子对父母的情绪是最敏感的，如果我们自己对某些内容不确定或者觉得很尴尬，孩子也就无法很好地直面这些问题。而如果我们选择主动和孩子谈论这些话题，我们就是用自己的态度告诉孩子：社会的确并不总是那么美好，但好在你的身边有父母在；遇到任何的疑惑，不管发生什么，父母都愿意聆听，永远愿意帮助你解决问题。让孩子拥有这样一份安心，是更为重要的，这已经超越了安全教育的内涵。

我们无法保护孩子一辈子，所以更要趁早教会孩子远离社交生活中的那些隐性伤害。

面对霸凌，你要这样做！给孩子的自我保护攻略

知名亲子教育专家　**晴天妈妈**

霸凌是个问题，但不是无法解决的问题。当书中的小主人公遭遇霸凌和侵害时，他们会感到非常难过，不过，通过和爸爸妈妈沟通，借助老师和学校的帮助，以及跟朋友一起寻找办法，小主人公很快就解决了问题。

理解故事容易，学会将故事里的道理用在生活中却没那么简单。作为家长，我们要如何将解决问题的关键准确、有效地传达给孩子，让他们能够敏锐地识别危险、保护自己呢?

父母作为孩子成长的第一责任人，不仅肩负着监护职责，还承担着教育的重任。在解决霸凌问题时，核心任务是帮助孩子建立同理心，教会孩子尊重、包容和接纳。一方面提高孩子的自我保护和自我约束意识，另一方面让孩子了解正确的社交规范，锻炼孩子解决问题的能力。

首先，在给孩子们读这套书的时候，我们不妨先和孩子讨论一下——书里的小主人公遇到了什么麻烦？为什么这件事叫作霸凌？这个霸凌事

件的受害者是谁？受害者心里是什么感觉？旁观者又是什么意思？等等。最重要的是，要和孩子讨论自己或别人被霸凌时的感受，并且思考解决的办法。请爸爸妈妈们提醒你的孩子，霸凌不仅仅意味着侮辱或是伤害别人，也包括很多不友善的行为，比如：不允许某些人加入游戏或是小组活动、嘲笑别人、说刻薄的话、威胁、推搡，甚至抢走别人的东西，这些都是霸凌行为。至于强行的身体接触和性侵害就更加危险了，它们不只是霸凌，更是一种犯罪！

为了让孩子更好地保护自己，及时有效地应对突发情况、解决相关问题，爸爸妈妈可以和小朋友们做这样的约定：

为了保护自己的身体安全，我需要记住什么？

- 我的嘴巴，是用来微笑和说话的。
- 我的双手，是用来握手和拥抱的。
- 我的语言，是用来表达和沟通的。
- 我的行动，是用来解决问题和帮助别人的。
- 我的朋友，是用来互相关心和互相帮助的。
- 我不会伤害别人。

如果自己或者别人受到了欺负，我应该怎么做？

- 我会及时说“不”。
- 我会用像狮子、野狼等猛兽一般犀利的眼神盯着对方。
- 我会突然大叫，给对方威慑。
- 我会把冒犯我的人当成空气，对他不屑一顾。
- 我会大声求助。
- 我会迅速离开。
- 我会告诉父母或者老师。
- 我会去寻求帮助。

• 我会唱令人振奋的歌、跳令人振奋的舞蹈，将愤怒吼出来。

• 我不会支持欺凌弱小的人。

• 我会学着接受别人本来的样子。

• 我会努力善待他人。

• 我会记得自己的优点，并且相信自己是可爱的。

如果我遭到了霸凌，我需要记住什么？

• 这不是我的错！没有人应该被霸凌。

• 不要露出害怕和退缩的神情。昂首挺胸地大步走开，或者大声斥责、威慑对方。

• 及时寻求帮助！不要害怕老师、家长或者别的成人会不相信，一直诉说和求助，直到有人相信自己的经历，并愿意出手相助。

• 不要轻易以暴制暴。暴力永远不是制止暴力的方法。

• 制订一个解决问题前的替代计划，保证自己的安全。比如短期内换一条回家的路。

• 我是可爱的。家人和朋友永远爱我、相信我，并且愿意和我一起解决问题。

• 我有很多优点，我应该多参与一些能让自己振奋起来的活动，比如唱歌、跳舞、画画、做游戏等。

如果我看见有人在对别人进行霸凌，我需要记住什么？

• 换位思考。很多被霸凌者或许有一些独特的外表或者着装，看起来与大多数人不同，学着接纳每个人本来的样子。

• 说出真相不代表背叛。背叛朋友的告密者是为了陷害别人，而说出真相是为了帮助别人以及解决问题。

• 及时求助。若看到有人正在霸凌别人，及时告诉周围有能力解决问题的成年人，包括老师、家长等可以信赖的人。说出真相，直到有人采取行动。

• 保持自我，永远做正确的事情。不要因为恐惧和担心不合群就违心

附和，甚至参与霸凌行为，更不能鼓励和赞同这种事情。

• 霸凌者很可能也需要帮助。有一些霸凌者可能自己遭遇了暴力或者极端事件，自身也有一些问题，虽然这不是任何人伤害别人的理由，但是也要站在受害者和迫害者两个角度看待问题。

• 加入身边的反霸凌组织。如果周围的学校和社区有这样的机构，参与进来，用自己的力量为反霸凌行动做贡献。如果没有，可以协助成立这样的组织。

• 寻求了帮助，但还是没能帮助到受害者也没有关系，尽力就好。

• 任何时候，任何原因，不要伤害别人。

最深的信任，最好的保护

中信童书主编、资深媒体人　**鲍芳**

假如有人告诉你，1/3 的孩子都会在学校遭遇霸凌，你还会每天安安心心把孩子送出门吗？反正，我是不淡定了。更让我想象不到的是，大部分受了欺负的孩子都会选择默默忍受下去。2010 年，美国教育发展中心研究员的一份研究报告指出，64% 的孩子被欺负后没有告诉其他人，只有 36% 的孩子事后选择寻求帮助。

记得女儿刚出生没多久，有一次去医院采血查过敏原，几个护士按住她，拼命从脚跟挤静脉血。女儿半是疼痛半是惊吓，哭声几乎快要震塌医院，我这个妈妈听得心跳都要停止了。情商颇低的先生在旁边安慰我说（却不料带给我更多的惊吓）：这点看得见的痛怕什么，将来还有我们看不到的伤呢。

是啊，假如有一天，我的女儿在外面受了我们看不到的伤，有了不愿意告诉我们的痛，我们该怎么办？校园霸凌不就是那种许多孩子宁可烂在肚子里，也不愿意告诉父母的“秘密”吗？

为什么遇到伤害，却不愿意第一时间向最亲的父母求助？带着这样的疑惑，我试着把自己还原成一个小孩，来体会其中的原因：

首先，假如我是一个小孩，我会担心父母觉得被欺负全是因我的错而起。比方，找我麻烦的是老师，父母会相信我说的，去质疑老师吗？他们会不会说：为什么别人都没事，就你有事，是不是因为你有错在先？

其次，假如我是一个小孩，我会为自己被欺负时的软弱无力感到羞愧。我先生就不止一次对女儿说：你和小朋友们的事就该你们自己去解决。他信奉“丛林法则”，觉得别人打回来，那就打回去呀，告诉大人就是告状，是做胆小鬼和缩头乌龟。

最后，假如我是一个小孩，我会害怕父母比我自己先崩溃，做出一些让我感到更加羞愧和难堪的事。从小到大，我父母就没少在我耳畔叨叨：你要是如何如何，我们可受不了。这也许是一种爱的叮咛，但反过来看，何尝不是一种恐吓——你可别出什么岔子，否则，我们做父母的就先完了。

现在，我自己当了妈妈，坦率地说，我只知道在精神上我应该给予孩子无限的保护，却并不非常清楚，具体该如何保护孩子免受那些看不见的伤害。网上倒是有不少专家的研究，却很难立刻化成行动，尤其是很难以孩子能听懂的方式，教孩子去辨别、远离伤害。

感谢我的同事，制作了一套全面又实用的绘本《别让伤害靠近你：教孩子辨别、远离隐性伤害》，它以故事的方式，从肢体、言语、身体、情感和隐性霸凌五个方面，教会孩子如何正确面对那些看不见的伤害。

这套书还解答了我这个大人一直以来的一些困惑。比如，我小时候很不喜欢那些动不动“告老师”的同学，也担心我的孩子万一养成了这样的习惯会被人讨厌。这套书告诉我：将霸凌行为“告诉”大人不等于“告状”。“告诉”是为了保护自己或别人，而“告状”是为了给别人找麻烦。

还有，同学、伙伴间开玩笑，说一些叫人不舒服的话，到底该不该对此说“不”？这套书告诉我：有时候，开玩笑可能是种乐趣，只是闹着玩，但那种让人生气的取笑，就是情感霸凌了。情感霸凌包括奚落、羞辱、传谣和合伙攻击别人。

不仅如此，这套绘本还能解决我前面提到的那个最难的难题——当孩子遇到霸凌、虐待或性侵时，身为父母的你，不要总是最后一个才知道。它鼓励孩子面对伤害不再沉默，不再感到是自己做错了，或者为此羞愧，而是能充分认识到那是对方的过错，应该为此负责的是对方不是自己；同时，也能让父母在第一时间发现孩子的危险，成为孩子最愿意吐露真相、寻求帮助的人选——那不正是身为父母最该担负起的责任吗?

每当看着我女儿苹果一样可爱的笑脸，我就在心里祈祷，永远不要有可怕的事发生在她身上；不仅如此，作为她的妈妈，我更愿我足够强大，亦足够包容，可以成为她最坚强的后盾、最信任的同盟和最安全的港湾，直到她自己羽翼丰满，足以有勇有谋地去经历她的世界。